Instant! MĀORI

Writer & Writer
nick@pl.net

ISBN 0-476-00667-8

Design: www.inhousedesign.co.nz
Printed by: Fantasy Printing Ltd. (Hong Kong)
Phone: (852) 2554 5000
First printing 2004.
Second printing 2005.
Third printing 2006.
Fourth printing 2008.
Fifth printing 2011.
Sixth printing 2016.

The authors gratefully acknowledge permission from Foodstuffs (Auckland) Ltd. to use the Mr. Four Square icon.

Paul's dedication

To my beautiful late wife, mother of William and Isabelle, Yvonne.

Haere e Sayang, ki te awhi o ngā tūpuna ā kei reira e tatari ai mo mātou Ko Wiremu ko Arapera. Tū tonu te mahara ake, ake, ake.

Instant!
MĀORI

Nick Theobald
& Pāora Walker

How our *Instant!* phonetics work:

Instant! Māori applies the 'what you see is what you say' principle.

FOR EXAMPLE:

English: What's your name?
Māori: Ko wai to ingoa?
Phonetics: Caw why tore ing-oh-ah?

Caw – as in what crows say
why – as in "why not?"
tore – as in "tore up the contract"
ing – as in "sing"
oh – as in "oh dear"
ah – as in "ah choo"

Go on, have a go:
Caw why tore ing-oh-ah?
See? It's easy.

English: After you.
Māori: A muri i a koe.
Phonetics: Ah moo-ree ee ah kway.

Ah – as in "ah choo"
moo – what cows do
ree – like "see"
ee – same again
ah – as above
kway – "sway" with a "k"

English: Have a seat.
Māori: Whakatau mai.
Phonetics: Far-car-toe my.

Far-car – as in "Far-car"
toe – the things on your feet
my – my sweet lord
Go on, have a go: *Far-car-toe my.*

English: Taupo
Māori: Taupo
Phonetics: Toe-paw

Toe – those things on your feet
paw – same as a cat's paw

English: Greetings (to a large crowd).
Māori: Kia ora koutou katoa.
Phonetics: Key ora ko-toe cut-oar.

Key – as in "key"
ora – like "aura"
ko – as in "ko" (the first part of kodak)
toe – on your feet
cut – cut
oar – oar in a boat

Please read these bits *care-full-lee*

A macron placed over a vowel extends that vowel length by half. A double vowel doubles the vowel length. An example which features both a macron and a double vowel is ātaahua. Just follow our *Instant!* phonetics.

Hyphenated words like *"ko-toe"* are one word (koutou) and are separated into their individual phonetics. You run hyphenated words together. It's *ee-zee.*

Roll all Māori "r's" slightly.

Pronouncing the "E" vowel

E – as in the word "beg" – but minus the "b" and the "g"
Te – as in Ted without the "d"
Re – as in Red without the "d"
Me – as in Med without the "d"
He – as in Hep without the "p"
Pe – as in Pep without the final "p"
Ne – as in Ned without the "d"

"Te", or any of the "e" vowels above, ARE NEVER pronounced "*Tee*" or "*Tay*".

Vowel sounds

	SHORT	LONG
a	across	car
e	centre	beg
i	key	sheep
o	or	awe
u	foot	toot

The *Instant!* Top Ten Mispronunciations

Tauranga
Toe-rung-ah NOT *Tow-wrong-ah*

Waikato
Why-cut-oar NOT *Why-cat-oh*

Paekakariki
Pie-car-car-ree-kee
NOT *Pie-cocker-ree-kee*

Mana
Mun-nah NOT *Maa-nah*

Waiheke
Why-he-ke NOT *Why-hickey*

Turangi
Too-rung-ee NOT *Too-rang-ee*

Pukerua
Pook-e-roo-ah NOT *Pooky-roo-ah*

Haka
Huck-ah NOT *Hah-car*

Te Awamutu
Te Ah-wah-moo-too NOT
Tee Ah-wah-moo-too

Remuera
Rem-oo-air-rah NOT *Rem-you-air-rah*

The "F" word

To turn "Whaka" into acceptable phonetics, we've opted for *"Far-car"*.

Nick's note:

Any phrase book will never give you perfect vowel length, stress, intonation etc. Having written other *Instant!* phrase books, I've found that if someone hears you're *at least trying* to speak their language, you immediately gain a bit of respect. If you pronounce a word incorrectly, most people will get what you're trying to say and will correct your errors. Dialogue begins, barriers come down, smiles reign and phonetic pennies may even fall from heaven.

The authors would like say arohanui to the following for their invaluable assistance.

Dr. Tania Ka'ai, Dean – School of Māori, Pacific and Indigenous Studies, University of Otago.

Rawinia Higgins, Lecturer – School of Māori, Pacific and Indigenous Studies, University of Otago.

Fr. David Gledhill for the prayers and religious content.

The drivers of the 497 to Otahuhu.

While great care has been taken to ensure our Māori – English phonetics are correct, the authors accept no responsibility whatsoever for any verbal misadventure due to misinterpretation. Such as playing snooker for $10 for instance.

Contents

AT THE BEACH 12
AT THE GAS STATION 12
AT THE A.A. MEETING 12
AT THE FISH AND CHIP SHOP 13
AT THE RESTAURANT 14
AT THE DAIRY 16
AT THE PUB 18
IN PARLIAMENT 19
AT THE RACES 20
AT THE MOVIES 20
IN THE SNOOKER ROOM 21
ON THE GOLF COURSE 21
AT THE HĀNGI 22
ON THE SET 23
ON THE ROAD 23
ON THE OCEAN WAVES 23
AROUND THE HORN 24
ROMANCE/PICK-UP LINES 24
THAT HAPPY DAY 28
THAT UNHAPPY DAY 28
SMALL TALK 29
FAMILY STUFF 31
POLITE STUFF 33
PERSONAL INTRODUCTIONS 35
BOYS' NAMES 38
GIRLS' NAMES 39
GREETINGS & FAREWELLS 40
NZ NATIONAL ANTHEM 42
TE RAUPARAHA'S HAKA 43
ROYALTY 44
POKAREKARE ANA 45
MARAE ETIQUETTE 48
WHAT TO SAY ON THE MARAE 48
MĀORI ZEN 49

CONTENTS

SO YOU WANNA BE A ROCK & ROLL STAR? 50
DEPT. OF PERIODIC DETENTION 50
AVOIDING TELEMARKETERS 50
TAKING A PHOTO 51
YOUR BUM DEPT. 51
DEPT. OF PURCHASING 51
PETS' CORNER 52
TEACHER'S CORNER 53
SHOPPING 54
EXIT STRATEGIES WHEN SURROUNDED BY
THE MONGREL MOB 55
THE WEATHER 56
UP IN THE SKY 57
LET'S PLANET 58
GEOGRAPHICAL STUFF 58
TELLING THE TIME 59
PARTS OF THE HOUR 61
SIGNING OFF 62
COLOURS 63
MONTHS 63
DAYS OF THE WEEK 64
DAY, WEEK, MONTH 65
SEASONS 65
NUMBERS 66
DOLLARS & CENTS 69
BODY PARTS 70
BODILY FUNCTIONS 72
FOOD 73
FRUITS 74
VEGETABLES 74
AROUND THE HOUSE 75
CATCHY REAL ESTATE HEADLINES 76
THE 3 GREAT LIES 77
AND HOW DO YOU PLEAD? 77
ON THE PHONE 78
COMPLAINTS 79

THE LORD'S PRAYER ... 81
SIGN OF THE CROSS ... 82
GRACE BEFORE MEALS ... 82
DEPT. OF MEDIA STUDIES ... 83
THE TREATY ... 84
A GOOD CLEAN JOKE ... 84
RESPECT FOR ELDERS ... 85
GOOD KEEN KIWI PHRASES ... 85
A TIP FOR WORLD LEADERS ... 86
GONE FISHING ... 86
SPORT ... 87
POLITE INSULTS ... 88
POSITIVELY NEGATIVE ... 89
THE WANKER FAMILY OF PHRASES ... 90
LOVE THY NEIGHBOUR ... 91
DOWN TO BUSINESS ... 92
LETTERS I'VE WRITTEN ... 93
DEPT. OF BEST FRIENDS ... 95
PUT 'EM IN THE MOVIES ... 95
THE JOY OF TXT ... 96
ART & CULTURE DEPT ... 97
INSTANT! EMERGENCIES ... 98
TAXI CHIT CHAT ... 100
HONEY I'M ... 101
BUILDING SITE BANTER ... 101
THE INEVITABLE CONVERSATION STARTER ... 102
HAPPY AND MERRY ... 102
ADDRESSING THE MULTITUDE ... 103
CONSOLATIONS ... 104
BIG CITY TALK ... 105
YOUR ANSWERING MACHINE ... 106
LONG LOST POEM ... 107
EXTRA MARAE SPEECHES ... 110
GETTING THE HANG OF A HĀNGI ... 114
NOTES ... 118
ABOUT THE AUTHORS ... 120

At the beach

Help!
Āwhinatia!
Aah-fee-nah-tee-ah!

Shark!
Mako!
Ma-caw!

Surf's up dude.
He tino pai te tai karekare e hoa.
Hey tee-nor pie te tie car-re-car-re e haw.

At the gas station

Fill it up thanks mate.
Whakakīa e hoa.
Far-car-key-ah e haw.

Check the oil please.
Tirohia te hinu.
Tee-raw-here te hee-noo.

At the A.A. meeting

Hi, my name's... and I'm an alcoholic.
Tēna koe, ko (your name) taku ingoa, ā, he pōrohaurangi au.
Ten-ah kway, caw (your name) tuck-oo ing-oh-ah, ah he paw-raw-ho-rungee oh.

At the fish & chip shop

FOR EXAMPLE:

6 oysters, 3 pieces of fish, 2 pāua fritters and 5 bucks worth of chips.

E ono ngā tio, e toru ngā wāhi ika, e rua ngā pāua parai, ā, he taewa parai kia rima taara te wāriu.

E or-nor nah tee-or, e tore-roo nah wah-hee eeka, e roo-ah nah pa-wah pa-rye, ah, he tie-wah pa-rye key-ah reema taa-ra te wah-ree-oo.

Piece of fish He wāhi ika
He wah-hee ee-ka

Oyster He tio *He tee-or*

Pāua fritter He pāua parai
He pa-wah pa-rye

Hot dog He kuri wera *He coo-ree wearer*

Chips He taewa parai (or) Tīpi
He tie-wah pa-rye (or) Teepee

("He" can mean "a" or "some")

Vinegar please.
Hōmai te winika e hoa.
Haw-my te win-ee-car e haw.

Tomato sauce please.
Hōmai te hīnaki tomāto e hoa.
Haw-my te hee-nuck-ee tomato e haw.

At the restaurant

Excuse me.
(To a male waiter)
E pā.
E paa.

Excuse me.
(To a female waiter)
E kui.
E kwee.

Bring me the bill please.
Hōmai te pire.
Haw-my te pee-re.

It's on me.
Māku te haute.
Maa-koo te ho-te.

Bring us/me the wine-list.
Hōmai te rārangi waina.
Haw-my te rah-rung-ee wine-ah.

Sorry this isn't cooked.
Kāore anō kia māoa tēnei.
Car-aw-re ah-nor kee-ah maa-wah ten-nay.

Can we smoke?
Pai ana te kaipaipa?
Pie un-nah te kie-piper?

Got a vegetarian menu?
He rārangi kai hua whenua tāhau?
He ra-rung-ee kie who-are fen-ooh-ah tar-ho?

Where's the toilet?
Kei hea te wharepaku?
Kay hair te far-re-puck-oo?

I'm full.
Kua kī te puku.
Koo-ah key te pook-oo.

Want any dessert?
E hiahia ana koe ki ētahi purini?
E here-here un-nah kway key e-ta-hee poo-ree-nee?

Want any coffee?
He kāwhi māu?
He car-fee mow?

Some water please.
Hōmai he inu wai.
Haw-my he ee-noo why.

Delicious!
Te reka a te kai!
Te wrecker ah te kie!

Let's split.
Me haere atu tāua.
Me high-re ah-too tawa.

Waiter.
Kaitono.
Kie-tore-nor.
(or)
Waiter.
Weita.
Weta.

Delicious.
Reka rawa.
Recker rawa.

At the dairy

Flour Parāoa *Pa-ra-or-ah*

Milk Miraka *Mee-ruck-ah*

Water Wai *Why*

Bread Parāoa *Pa-ra-or-ah*

Biscuits Pihikete *Pee-hee-ke-te*

Newspaper Niupepa *Newpepper*

Toilet paper Pepa wharepaku
Pepper far-re-puckoo

Tampons Ngā kope *Nah caw-pe*

Cigarette papers Ngā pepa hikareti
Nah pepper hick-ah-re-tee

Matches Ngā māti *Nah mutty*

Tobacco Tupeka *Too-pecker*

Lighter Raiti *Righty*

Fags Ngā hikareti *Nah hick-ah-re-tee*

Tea Tī *(go on, have a guess)*

Coffee Kāwhi *Car-fee*

Sugar Huka *Hooker*

Honey Mīere (or) Honi
Mee-air-re (or) *Horny*

Salt Tote *Tor-te*

Pepper Pepa *Pepper*

Detergent Hinu horoi
Hee-noo haw-raw-ee

Washing powder Paura horoi
Po-ra haw-raw-ee

Shampoo Hopi makawe
Haw-pee muck-ah-we

Butter Pata *Putter*

Candles Ngā kānara *Nah car-na-rah*

Candle Kānara *Car-na-rah*

Eggs Hēki *He-key*

Cheese Tīhi *Tee-hee*

At the pub

Three jugs thanks mate.
E toru tiaka e hoa.
E tore-roo chee-uck-ah e haw.

My shout.
Māku te haute.
Ma-coo te ho-te.

Next one's on me.
Māku tērā haute.
Ma-coo tear-ah ho-te.

Where's the loo please?
Kei hea te wharepaku e hoa?
Kay hair te far-re-puck-oo e haw?

Cheers.
Kia ora.
Key ora.

I don't drink.
Kāore au e inu.
Car-or-re oh e ee-noo.

Hey mate, you'd better take a cab eh?
E hoa, he tēkehi te mea pai ake mōu, nē?
E haw, he tear-hee-kee te mayor pie ah-ke mow, ne?

Got a light mate?
He raiti tāu?
He righty toe?

Sorry I don't smoke.
Kāore au e kai paipa.
Car-or-re oh e kie piper.

I've got a hangover.
Kei te mate haurangi ahau.
Kay te mutt-e ho-rungee ah-ho.

In Parliament

Order, order.
Kia tau, kia tau.
Key-ah toe, key-ah toe.

At the races

How are they treating you?
(ie: "How are you doing?")
E pēhea ana koe?
E pe-hair un-nah kway?

How's the luck?
E pēhea ana te waimarie?
E pe-hair un-nah te why-ma-ree-e?

At the movies

Quit kicking my seat.
Kāti te whana i taku tūru e hoa.
Car-tea te fun-nah ee tuck-oo too-roo e haw.

Please be quiet.
Turituri.
Too-ree-too-ree.

Shut the fk up!**
Turituri!
Too-ree-too-ree!

Turn your phone off.
Whakawetohia to waea pūkoro.
Far-car-where-tore-here tore why-ah poo-caw-raw.

In the snooker room

Want a game?
E hiahia ana koe ki te tākoro?
E here-here un-nah kway key te ta-caw-raw?

Play you for ...10... bucks?
Me tākorotia tāua mō te ...tekau... taara?
Me ta-caw-raw-tee-ah tawa more te... tech-oh... taa-ra?
Best to get this one spot on otherwise you'll be playing for 10 vaginas!
See 'Body Parts'

Your break.
Māu e tīmata.
Mow e tee-mutter.

My break.
Māku e tīmata.
Maa-koo e tee-mutter.

On the golf course

Fore! (Beware!)
Kia tūpato!
Key-ah too-putt-or!

At the hāngi

Thanks for inviting us/me.
Kia ora mō to pōwhiri ki a māua.
(two people)
Key ora more tore poor-fee-ree key ah mah-wah.

Kia ora mō to pōwhiri ki a mātou.
(more than 2 people)
Key ora more tore poor-fee-ree key ah ma-toe.

Kia ora mō to pōwhiri ki a au.
(me)
Key ora more tore poor-fee-ree key-ah oh.

Any vegetarian food?
He kai hua whenua?
He kie who-uh fen-oo-ah?

Smells good.
He rawe te kakara.
He rah-we te car-car-rah.

I'm starving.
Kei te tino matekai au.
Kay te tee-nor mutt-e-kie oh.

On the set

Action!
Mahia!
Ma-hee-ah!

Cut!
Kāti!
Car-tee!

That's a wrap.
Kua mutu.
Koo-ah moo-too.

On the road

Step on it.
Kia tere.
Key-ah te-re.

Slow down.
Me āta haere.
Me aah-ta high-re.

Want me to drive?
Māku e taraiwa?
Mah-koo e ta-rye-wah?

On the ocean waves

Man overboard!
Kua taka he tangata ki rō wai!
Coo-ah tuck-ah he tongue-ah-ta key raw why!

Around the Horn

I'm feeling horny.
Kei te taera au.
Kay te tie-rah oh.

Are you feeling horny?
Kei te taera koe?
Kay te tie-rah kway.

Romance/pick-up lines

Will you marry me?
Marena mai koe ki a au?
Ma-re-nah my kway key ah oh?

Mind if I join you?
Pai ana ki a koe mehemea ka noho au i a to taha?
Pie un-nah key ah kway me-he-mayor ka nor-haw oh ee ah tore ta-hah?

Can I buy you a drink?
Pai ana ki a koe mehemea ka hoko inu au māu?
Pie un-nah key ah kway me-he-mayor ka haw-caw ee-noo oh mow?

Immediately after this lame pick-up line you say...

...No, but can I have the money instead?
Kāore, ēngari pēhea kē whiwhi i te moni?
Car-aw-re, eng-ah-ree pair-hear ke fee-fee ee te money?

What time do you finish?
Ā hea koe ka mutu?
Ah hair kway car moo-too?

Can I ask you out for a date?
Pai ana ki a koe mehemea ka tono atu au ki a koe mō te tūtakina mahi whaiāipo?
Pie un-nah key ah kway me-he-mayor car tore-nor ah-too oh key ah kway more te too-tuck-ee-nah ma-hee far-ee-aah-ee-paw?

What's your phone number?
He aha to nama waea kōrero?
Hey ah-ha tore nummer wire caw-rare-raw?

My place or yours?
Taku kāinga to kāinga rānei?
Tuck-oo kie-eng-ah tor kie-eng-ah raa-nay?

Let's go to bed.
Me haere tāua ki te moenga.
Me high-re tawa key te maw-eng-ah.

What's your name?
Ko wai to ingoa?
Caw why tore ing-oh-ah?

Can I see you again?
Pai ana ki a koe ki te tūtaki
anō tāua?
*Pie ah-nah key ah kway key te
too-tuckee uh-nor tawa?*

You're beautiful.
He ātaahua koe.
He aah-tar-who-are kway.

I'm falling in love.
Kei te patua au e te aroha.
Kay te pa-too-ah oh e te ah-raw-ha.

I love you.
Kei te aroha au i a koe.
Kay te ah-raw-ha oh ear kway.

Want to come back to my place?
Hiahia ana koe ki te hoki mai
ki taku kāinga?
*Here-here un-nah kway key te haw-key my
key tuck-koo kie-ing-ah?*

How old are you?
E hia o tau?
E here or toe?

Any gay bars around?
He pāparakauta mō ngā takatāpui i konei?
He pah-pa-ra-coat-ah maw nah tucker-tar-poo-ee ee corn-eh?

I'm gay.
He takatāpui ahau.
He tucker-tar-poo-ee ah-ho.

I'm straight.
He tōtika au.
He tore-teak-ah oh.

Shall we get out of here?
Me haere atu tāua?
Me high-re ah-too tawa?

Got any condoms?
He ārai waitātea ōu?
He are-rye why-tar-tee-ah oh?

That happy day

I do.
Ae.
Aye.

That unhappy day

I want a divorce.
Ko taku hiahia ko te wehenga mārena.
Caw tuck-oo here-here caw te we-heng-ah maa-ren-ah.

I've met someone else.
Kua tūtaki au i tētahi atu.
Coo-ah too-tuck-ee oh ee te-tar-hee ah-too.

Small talk

How's it going mate?
Kei te pēhea koe e hoa?
Kay te pe-hair kway e haw?

You're kidding.
Kei te whakarekareka koe.
Kay te far-car-wrecker-wrecker kway.

Do you speak Māori?
Kōrero Māori koe?
Caw-re-raw Ma-ree kway?

I only speak a little Māori.
He iti noa iho taku reo Māori.
He eatee gnaw ee-haw tuck-oo re-oh Ma-ree.

That's cool.
Kei te pai.
Kay te pie.

What's new?
He aha ngā mea hou?
He ah-ha nah mayor ho?

Relax.
Kaua e āwangawanga.
Co-wah e ah-wunga-wunga.

Take it easy.
Kia pai.
Key-ah pie.

Where are you from?
Nō hea koe?
Nor hair kway?

What's your story?
He aha to kōrero?
He ah-ha tore caw-re-raw?

What's your email address?
He aha to nohoanga waea?
He ah-ha tore nor-haw-unga wire?

That's it/Job's done.
Kua mutu tēra.
Coo-ah moo-too te-ra.

Family stuff

Mother Māmā *Maa-maa*

Father Pāpā *Paa-paa*

Daughter Tamāhine *Ta-maa-hee-ne*

Son Tama *Tummer*

Parent Matua *Ma-too-ah*

Uncle Matua kēkē *Ma-too-ah care-care*

Auntie Whāea *Fire*

Child Tamariki *Tummer-ree-kee*

Grandchild Mokopuna *More-caw-poona*

Brother Tungāne *Tung-aah-ne* (woman referring to her brother)

Brother Taina *Tie-na* (older brother or sister speaking about younger brother or sister)

Brother Tuakana *Too-ah-cunna* (younger brother or sister referring to elder brother or sister)

Sister (of male) Tuahine *Too-ah-hee-ne*

Husband Hoa tāne *Haw tar-ne*

Wife Hoa wahine *Haw wa-hee-ne*

Youngest Pōtiki *Poor-tick-ee*

First born (eldest) Mātāmua
Maa-taa-moo-ah

Cousin Whanaunga *Far-nowng-ah*
(or)
Kaihana *Kie-hun-nah*
(or)
Tuakana *Too-a-car-nah*
(same sex cousin of the speaker)

Nephew/Niece Irāmutu
Ee-raa-moo-too

Grandfather Tupuna tāne
Too-poo-nah tar-nay
(or)
Koro *Caw-raw*

Grandmother Tupuna wahine
Too-poo-nah wah-hee-ne
(or)
Kuia *Coo-ee-ah*

Polite stuff

Excuse me.
E koro. E kui. E hoa.
(Order: to a man/to a woman/ to a friend)
E caw-raw. E kwee. E haw.

There is, strictly speaking, no expression in Māori for "excuse me". The tone of voice will signify that you want to get past someone or catch their attention.

After you.
A muri i a koe.
Ah moo-ree ee ah kway.

Have a seat.
Whakatau mai.
Far-car-toe my.

Good morning.
Mōrena.
More-ren-ah.

I'm sorry.
Ka aroha hoki.
Car ro-ha haw-key.

Can I help you?
Ka taea e au te āwhina?
Car-tyre e oh te ah-fee-nah?

My Māori is not too flash.
Kāore taku reo Māori i te tino pai.
Cow-re tuck-oo re-oh Ma-ree ee te tea-nor pie.

No problem/No worries.
Hei aha.
Hey ah-ha.

You're welcome.
Kei te pai. (or) Pai ana tēra.
Kay te pie. (or) Pie un-nah tear-ra.

You dropped something.
Kua makeretia tēnā e koe.
Koo-ah ma-care-re-tee-ah ten-ah e kway.

Is everything OK?
E pai ana ngā mea katoa?
E pie un-nah nah mayor cut-oar?

Can I give you a ride?
Māku koe e hari?
Ma-koo kway e ha-ree?

Give us a light mate/ Spark me up bro.
Hōmai he māti e hoa.
Haw-my he marty e haw.

Personal introductions

Pleased to meet you.
Kei te koa au ki te tūtaki i a koe.
Kay te caw oh key te too-tuck-ee ee ah kway.

This is my wife Mary.
Ko tēnei taku hoa wahine ko Mere.
Caw ten-nay tuck-oo haw wahine caw Mary.

This is my husband Jim.
Ko tēnei taku hoa tāne ko Hēmi.
Caw ten-nay tuck-oo haw tar-nay caw He-mee.

This is my girlfriend ...(name).
Ko tēnei taku wahine ko ...(name).
Caw ten-nay tuck-oo wahine caw ...(name).

This is my boyfriend ...(name).
Ko tēnei taku tāne ko ...(name).
Caw ten-nay tuck-oo tar-ne caw ...(name).

This is my father ...(name).
Ko tēnei taku pāpā ko...(name).
Caw ten-nay tuck-oo par-par caw ...(name).

This is my mother ...(name).
Ko tēnei taku māmā ko ...(name).
Caw ten-nay tuck-oo mar-mar caw ...(name).

This is my daughter ...(name).
Ko tēnei taku tamāhine ko ...(name).
Caw ten-nay tuck-oo ta-maa-heen-e caw ...(name).

This is my sister.
Ko tēnei taku tuahine.
Caw ten-nay tuck-oo too-ah-hee-ne.
Note:
Tuahine = sister of a male
Tuakana = older sister of a female
Taina = younger sister of a female

This is my son ...(name).
Ko tēnei taku tama ko ...(name).
Caw ten-nay tuck-oo tummer caw ...(name).

This is my older brother ...(name).
(male speaking).
Ko tēnei taku tuakana ko ...(name).
Caw ten-nay tuck-oo too-ah-kun-ah caw ...(name).

This is my younger brother ...(name).
(male speaking)
Ko tēnei taku teina ko...(name).
Caw ten-nay tuck-oo tay-nah caw..(name).

This is my brother Peter.
(woman speaking)
Ko tēnei taku tungāne ko Pita.
Caw ten-nay tuck-oo tung-ah-ne caw Peter.

This is my friend John.
Ko tēnei taku hoa ko Hone.
Caw ten-nay tuck-oo haw caw Haw-ne.

Note: To say "This is my son/friend/daughter ...etc", but without their christian name, drop the "ko" and obviously the person's name.

Where are you from?
Nō hea koe?
Nor hair kway?

I'm from Wellington.
Nō Wellington au.
Nor Wellington oh.

What is your iwi?
Ko wai to iwi?
Caw why tore ee-wee?

My surname is Smith.
Ko (Smith) taku ingoa tūturu.
Caw (Smith) tuck-oo ing-oh-ah too-too-roo.

Boys' names

Alan Arana *Ah-ra-na*

Andrew Anaru *Ah-na-roo*

Bruce Puruhe *Poo-roo-he*

Charles Taare *Tar-re*
(or)
Tiare *Tee-ah-re*

Chris Kirihi *Key-ree-hee*

David Rāwiri *Rah-wee-ree*
(or)
Rewi *Re-wee*

Eddie Eru *Air-roo**

Edward Eruera *Air-roo-air-ra**

**(Yes Trainspotters, it should be "Ɛ-roo" and "Ɛ-roo-e-ra" - but we're just trying to give you a more recognisable alternative to the true sound of the "e" in the names "Ɛru" and "Ɛruera".*

The "e" in this instance sounds more like an "air".

Permission is granted to apply this Instant! phonetic logic/fudging to most "e's". It's not strictly correct though.)

George Hori *Haw-ree*

Henry Henare *He-nah-re*

Harry Hāre *Har-re*

Jack Haki *Huck-ee*

James/Jim Hēmi *Hair-mee*

John Hone *Haw-ne*

Joseph Hohepa *Haw-hepper*

Matthew Matiu *Ma-tew*

Michael Mikaere *Mick-eye-re*

Paul Pāora *Pow-ra*

Peter Pita *Pit-ta*

Philip Piripi *Pee-ree-pee*

Robert Ropata or Rapata
Raw-putter or Ra-putter

Thomas Tamati *Ta-mutt-ee*

Girls' names

Anne Ani *Ah-nee*

Caroline Karoraina *Car-raw-rhine-ah*

Catherine Katarina *Cut-ah-reena*

Celia Hīria *Hee-ree-ah*

Charlotte Hārata *Hah-ra-ta*

Dorothy Tārati *Tar-ra-tee*

Elizabeth Irihāpeti *Ee-ree-hah-pe-tee*

Julia Turahira *Too-ra-hee-rah*

Louise Ruiha *Roo-ee-ha*

Lucy Ruihi *Roo-ee-hee*

Martha Māta *Mar-tah*

Margaret Makareta or Makere
Muck-ah-re-ta (or) Muck-e-re

Mary Mere *Me-re (sounds a little like Mare-rare)*

Mary Anne Mereana *Me-re-un-nah*

Teresa Terehia *Te-re-here*

Greetings & farewells

Hello.
Kia ora.
Key ora.

Goodbye.
(from the person staying).
Haere rā.
High-re ra.

Goodbye.
(from the person leaving).
E noho rā.
E nor-haw ra.

Nice to meet you.
Pai ana ki te tūtaki atu i a koe.
Pie un-nah key te too-tuck-ee ah-too ee ah kway.

Nice to see you again.
Pai ana ki te kite atu anō i a koe.
Pie un-nah key te key-te ah-too ah-nor ee ah kway.

See you again.
Ka kite anō.
Car key-te ah-nor.

See you tomorrow.
Ka kite āpōpō.
Car key-te ah-paw-paw.

See you soon.
Ka kite a tōnā wā.
Car key-te ah torn-ah wah.

See you.
Ka kite.
Car key-te.

Later bro/Catch you later.
A tōnā wā e hoa.
Ah torn-ah wah e haw.

Gotta go.
Me haere atu au.
Me high-re ah-too oh.

Let's split.
Me haere atu tāua.
Me high-re ah-too tawa.

NZ National Anthem

E ihowa atua
O ngā iwi mātou rā
Āta whakarongona
Me aroha noa.
Kia hua ko te pai
Kia tau to atawhai
Manaakitia mai
Aotearoa.

E ee-ho-ah ah-too-ah
Or nah iwi ma-toe rah
Aah-ta far-car-rong-oh-nah
Me ah-raw-ha gnaw-ah.
Key-ah who-ah caw te pie
Key-ah toe tore ah-ta-fie
Mana-ah-key-tee-ah my
Ah-or-te-ah-raw-ah.

God of nations at thy feet
in the bonds of love we meet
hear our voices we entreat
God defend our free land.
Guard Pacific's triple star
From the shafts of strife and war
Make her praises heard afar
God defend New Zealand.

So much for the separation of church and state.

Te Rauparaha's Haka

as used by the mighty men in black

This was written by Te Rauparaha after he'd been on one of his many forays into enemy territory. He was being chased and was hidden by a woman in a kumara pit to elude his enemies, who were no doubt hungry for revenge and after their pound of flesh.

Ka mate ka mate!
Ka ora ka ora!
Ka mate ka mate!
Ka ora ka ora!
Tēnei te tangata pūhuruhuru
Nāna nei i tiki mai whakawhiti te rā!
Ā upane ā upane
Ā upane ka upane
Whiti te rā. Hī.

Car mutt-e car mutt-e
Car ora car ora
Car mutt-e car mutt-e
Car ora car ora
Ten-nay te tongue-ah-ta
poo-hoo-roo-hoo-roo
Nana nay ee ticky my
far-car-feet-tee te rah!
Aah oo-pa-ne aah oo-pa-ne
Aah oo-pa-ne ka oo-pa-ne
Fee-tee te ra. Hee.

Translation

**I may die I may die
I may live I may live
I may die I may die
I may live I may live
This hairy man he's the one
Who brought the sun
I climb up step by step to greet
the sun. Hee!**

Royalty

God save the Māori King.
E te atua manaakitia mai te kingi Māori.
E te ah-too-ah mun-aah-key-tee-ah my te King-ee Māori.

Pokarekare Ana

1. Pokarekare Ana
ngā wai o Waiapu
Whiti atu koe hine
Marino ana e.

(chorus)

E hine e
Hoki mai rā
Ka mate ahau
I te aroha e.

2. Tuhituhi taku reta
Tuku atu taku rīngi
Kia kite to iwi
Raruraru ana e.

(chorus)

3. E kore te aroha
e maroke i te rā
mākuku tonu
I aku roimata e.

(chorus)

4. Whati whati taku pene
Kua pau aku pepa
Ko taku aroha
Māu tonu ana e.

(chorus).

1. *Paw car-re-car-re ah-nah, nah*
why or Why-ah-poo,
Fee-tee ah-too kway hee-ne
Ma-reen-oh un-nah e.

(chorus)
E hee-ne e
Haw-key my rah
Car mah-te ah-ho
Ee te ah-raw-ha e.

2. *Too-hee-too-hee tuck-oo re-ta*
Took-oo ah-too tuck-oo ringy
Key-ah key-te tore ee-wee
Rah-roo-rah-roo un-nah e.

(chorus)

3. *E caw-re te ah-raw-ha*
E mah-ro-ke ee te ra
Mar-koo-koo tore-noo
Ee uck-oo roy-mutter e.

(chorus)

4. *Fut-ee fut-ee tuck-oo pen-ne*
Koo-ah poe uck-oo pepper
(*"poe"* as in Edgar Allan Poe)
Caw tuck-oo ah-raw-ha
Mow tore-noo un-nah e.

(chorus)

The lyrics

1. May the rough waters of Waiapu
   that you are crossing become calm.

   Chorus:

   My dear, please return to me,
   or I shall die without your love.

2. I have written my letter,
   I have posted you my ring
   to show your people who are
   disbelieving.

   Chorus

3. My love will not be dried up
   by the sun
   it will be nurtured by my tears.

   Chorus

4. My pen is broken, I've run out of
   paper, but my love for you still
   remains.

   Chorus

Arranged by P. H. Tomoana
& his concert party 1917

Etiquette on the Marae

Follow your host's instructions.

If asked to speak in the Wharenui or on the Marae, say who you are, where you're from and express your appreciation for the opportunity to visit the Marae.

See longer Marae speech on page 92.

What to say in the Wharenui (Meeting House) on the Marae

SHORT VERSION

Greetings. I am Nick and I'm from Wellington.

Tēna koutou, tēna koutou, tēna koutou katoa. Ko Nick taku ingoa, ā, nō Pōneke au.

Te-nah ko-toe, te-nah ko-toe, te-nah ko-toe cut-oar. Caw Nick tuck-oo ing-oh-ah nor Poor-neck-e oh.

LONGER VERSION

Greetings. Taranaki is my mountain, Waitara is my river, my iwi is Ngāti Pākehā, my name is Nick and I'm from Wellington.

Tēna koutou, tēna koutou, tēna koutou katoa. Ko Taranaki taku maunga, ko Waitara taku awa, ko Ngāti Pākehā taku iwi, ko Nick taku ingoa, ā, nō Pōneke au.

Te-nah ko-toe, te-nah ko-toe, te-nah ko-toe cut-oar. Caw Taranaki tuck-oo mowng-ah, caw Waitara tuck-oo ah-wah, caw nar-tee paa-ke-haa tuck-oo ee-wee, caw Nick tuck-oo ing-oh-ah, ah nor Poor-neck-e oh.

Obviously, fill in your own details regarding name, birthplace, mountain and river.

Māori Zen

The man looking for a mountain is standing on a mountain.

Ko te tangata e rapu ana i te maunga te tangata e tū ana ki runga.

Caw te tongue-ah-ta e ra-poo un-nah ee te mowng-ah te tongue-ah-ta e too un-nah key roonga.

So you wanna be a rock & roll star?

Check, check, 1-2-3.
Tiaki, tiaki, tahi - rua - toru.
Chucky, chucky, ta-hee, roo-ah, tore-roo.

Chew, chew, chew...
Tiu, tiu, tiu...
Chew, chew, chew...

Dept. of periodic detention

I've got my period.
Kei te mate wahine au.
Kay te mutt-e wah-hee-ne oh.

A polite way to avoid telemarketers

Sorry, I work in advertising.
Aroha mai e hoa, mahi ana au i te mahi pānuitanga.
Ah-raw-ha my e haw, ma-hee un-nah oh ee te ma-hee pa-noo-ee-tongue-ah.

When taking a photo

1..2...3...smile.
Tahi, rua, toru, menemenetia.
Ta-hee, roo-ah, tore-roo, mene-mene-tee-ah.

Your bum dept.

Does my bum look big in this?
Kei te nui te āhua o taku nono i roto i tēnei?
Kay te noo-ee te ah-who-ah or tuck-oo nor-nor ee raw-tore ee ten-nay?

Dept. of purchasing

Can I buy some ... ?
E āhei ana au ki te hoko i te... ?
E ah-hey un-nah oh key te haw-caw ee te...?

How much?
He aha te utu?
He ah-ha te oo-too?

Thanks mate.
Kia ora e hoa.
Key ora e haw.

Pets' corner

CATS

Here puss, puss, puss.
Haere mai e te poti, poti, poti.
High-re my e te puttee, puttee, puttee.

Unless your favourite puss in boots is totally te Reo staunch, probably best just to say "puss, puss, puss" - otherwise, your moggy may never come home.

Kitty, kitty, kitty.
Kiti, kiti, kiti.
Kitty, kitty, kitty.

DOGS

Sit! E noho! *E nor-haw!*

Stay! Nohoia! *Nor-hoy-ya!*

Heel! Ki muri! *Key moo-ree!*

Outside! Ki waho! *Key wah-haw!*

Go to bed. Haere ki to moenga.
High-re key tore more-eng-ah.

Good boy/girl. Pai ana koe.
Pie un-nah kway.

Good dog. Pai ana te kuri.
Pie un-nah te coo-ree.

Bad dog! Kino ana te kuri!
Key-nor un-nah te coo-ree!

Shut up! Turituri! *Too-ree-too-ree!*

Come here. Haere mai. *High-re my.*

Lie down. Takotoria. *Ta-caw-tore-rear.*

Who's that? Ko wai tēra? *Caw why tear-ah?*

No! Kāo! *Cow!*

Go home! Haere ki to kāinga! *High-re key tore kie-ing-ah!*

PARROTS, BUDGIES ETC.

Pretty boy. He tama ātaahua koe. *He tummer aah-tar-who-ah kway.*

Hello. Tēna koe. *Ten-ah kway.*

Bugger off! Haere atu! *High-re ah-too!*

Teacher's corner

Pay attention. Whakaaro mai. *Far-car-raw my.*

Stop talking. Kāti te kōrero. *Car-tea te caw-re-raw.*

Shopping

Just looking thanks.
E titiro noa iho ana au.
E tee-tee-raw gnaw ee-haw un-nah oh.

Don't worry about a bag.
Kaua e hari kete mai.
Ko-wah e hah-ree ke-te my.

What time do you open?
Ā hea koe ka huaki?
Ah hair kway car who-are-kee?

What time do you close?
Ā hea koe ka kāti?
Ah hair kway car car-tee?

Can you deliver?
Ka taea e koe te hari mai?
Car tyre e kway te har-ree my?

I'll think about it.
Ka whakaaro au mō tēra.
Car far-car-raw oh more tear-ra.

Can I stick it on the slate?
Ka taea e au te nama?
Car tyre e oh te nummer?

Exit strategies when surrounded by the Mongrel Mob

OK, who's first?
Pai ana, mā wai e tīmata?
Pie un-nah, ma why e tee-mutter?

I think I've left something on the stove.
Ki tōku nei whakaaro kua waihotia e au tētahi mea i runga i te tō.
Key tore-koo nay far-car-raw koo-ah why-haw-tee-ah e oh tear-ta-hee mayor ee roonga ee te tore.

Is that a cop car coming?
He motokā pirihimana tērā?
He motorcar pee-ree-hee-mun-ah tear-ah?

The weather

It's going to rain.
Ka haere mai te ua.
Ka high-re my te ooh-ah.

What a beautiful day.
Kātahi te rā ātaahua tēnei.
Kah-ta-hee te raa aah-tar-who-ah ten-nay.

What a lousy day.
Kātahi te rā kino tēnei.
Kah-ta-hee te ra key-nor ten-nay.

It's hot. Kei te wera. *Kay te we-ra.*

It's cold. Kei te makariri.
Kay te muck-ah-ree-ree.

Shit it's windy.
E hika ka tū te hau.
E heeka car too te ho.

It's pissing down.
E tino heke ana te ua.
E tee-nor heck-e un-nah te oo-ah.

Fine Paki *Pa-kee*

Rain Ua *Oo-ah*

Night Pō *Paw*

Cold Makariri *Muck-ah-ree-ree*

Beautiful day isn't it?
He rā ātaahua tēnei nē?
He raa aah-tar-who-ah ten-nay ne?

So what's the weather going to do?
He aha te āhua o te rangi?
He ah-ha te aah-who-ah or te rungee?

Do you think it will rain?
Ki to whakaaro ka heke te ua?
Key tore far-car-raw car heck-e te oo-ah?

Up in the sky

Moon Marama *Ma-rummer*

Sun Rā *Raa*

Clouds Kapua *Cup-oo-ah*

Rain Ua *Oo-ah*

Wind Hau *Ho*

Snow Huka *Hooker*

Southern Cross Te Take o Autahi
Te tuck-e or oh-ta-hee

Full moon Te Ōturu *Te or-too-roo*

Sunrise Te Putanga o te rā
Te poo-tunga or te raa

Sunset Te Tōnga o te rā
Te tonga or te raa

To say "The Moon" etc, add "Te" in front (ie: the).

Planets

Jupiter Kōpū-nui *Core-poo-noo-ee*
Uranus Wherangi *Fair-rung-ee*
Pluto Whiro *Fee-raw*
Mars Matawhero *Mutter-fair-raw*
Saturn Parearau *Pa-re-ah-row*
Venus Kōpū *Core-poo*

Geographical stuff

East Rāwhiti *Ra-fee-tee*
West Uru *Oo-roo*
South Tonga *(go on...have a guess)*
North Raro *(have another one)*

New Zealand
Niu Tireni
New Tee-re-nee

New Zealand
Aotearoa
Ah-or-te-ah-raw-ah

North Island
Te Ika a Māui
Te Ee-ka ah Mo-wee

South Island
Te Waipounamu
Te Why-po-nah-moo
(or)
Te Waka a Māui
Te Wah-car a Mo-wee

The time

Got the time please?
He aha te taima e hoa?
He ah-ha te time-ah e haw?

One o'clock
Kotahi karaka
Caw-ta-hee ka-rucker

Two o'clock
E rua karaka
E roo-ah ka-rucker

Three o'clock
E toru karaka
E tore-roo ka-rucker

Four o'clock
E whā karaka
E far ka-rucker

Five o'clock
E rima karaka
E reema ka-rucker

Six o'clock
E ono karaka
E or-nor ka-rucker

Seven o'clock
E whitu karaka
E fee-too ka-rucker

Eight o'clock
E waru karaka
E wah-roo ka-rucker

Nine o'clock
E iwa karaka
E ee-wah ka-rucker

Ten o'clock
Tekau karaka
Tech-oh ka-rucker

Eleven o'clock
Tekau mā tahi karaka
Tech-oh maa ta-hee ka-rucker

Twelve o'clock
Tekau mā rua karaka
Tech-oh maa roo-ah ka-rucker

A.M. & P.M.

1.00 am
Kotahi karaka i te ata
Caw-tah-hee ka-rucker ee te utter

1.00 pm
Kotahi karaka i te ahiahi
Caw-tah-hee ka-rucker ee te ah-ee-ah-hee.

TIMELY EXAMPLES BASED ROUND ONE O'CLOCK

1.05
E rima meneti pahi i te kotahi karaka.
E reema menity pa-hee ee te caw-tah-hee ka-rucker.

12.55
E rima meneti ki te kotahi karaka.
E reema menity key te caw-tah-hee ka-rucker.

1.15
He koata pahi i te kotahi karaka.
He quarter pa-hee ee te caw-tah-hee ka-rucker.

1.30
He hawhe pahi i te kotahi karaka.
He ha-fe pa-hee ee te caw-tah-hee ka-rucker.
(or)
Te haurua o te kotahi karaka.
Te ho-roo-ah or te caw-tah-hee ka-rucker.

12.45
He koata ki te kotahi karaka.
He quarter key te caw-tah-hee ka-rucker.

Signing off letters or emails

Stay well
Mauri ora
Mo-ree aura

With love/Fond regards
Me te aroha
Me te ah-raw-ha
(or)
Arohanui
Ah-raw-ha noo-ee (same meaning) is often used for this as well - more often than "Me te aroha"

Stay well
Noho ora mai rā
Naw-haw oar-ra my rah

Colours

Blue Kahurangi *Car-who-rung-ee*

Red Whero *Fair-raw*

Brown Parāone *Pa-rah-or-ne*

Black Pango *Pung-or*

White Mā *Maa*

Yellow Kōwhai *Caw-fie*

Green Kakariki *Car-car-ree-kee*

Gold Kōura *Co-rah*

Silver Hiriwa *Hee-ree-wah*

Months

January Kohi-tātea
Caw-hee-tar-te-ah

February Hui-tanguru
Hooey-tongue-oo-roo

March Poutū-te-rangi
Poe-too-te-rungee

April Paenga-whāwhā
Pie-eng-ah-far-far

May Haratua *Hah-rah-too-ah*

June Pipiri *Pee-pee-ree*

July Hōngongoi *Hong-ong-oy*

August Here-turi-kōkā
He-re-too-ree-caw-car

September Mahuru *Ma-hoo-roo*

October Whiringa-ā-nuku
Fear-ring-aah-noo-coo

November Whiringa-ā-rangi
Fee-ring-ah-aah-rung-ee

December Hakihea *Huck-ee-here*

Days of the week

Monday Mane *Ma-ne* or Rāhina *Rah-hee-na*

Tuesday Tūrei *Too-ray* or Rātu *Rah-too*

Wednesday Wenerei *When-e-ray* or
Raapa *Rah-pa*

Thursday Tāite *Tie-te* or Rāpare *Rah-pa-re*

Friday Paraire *Pa-rye-re* or Rāmere *Rah-me-re*

Saturday Hātarei *Ha-ta-ray* or
Rāhoroi *Rah-haw-roy*

Sunday Rātapu *Raa-tapu*

Day, week, month etc.

Day Rā *Rah*

Week Wiki *Wee-kee*

Month Marama *Ma-rah-ma*

Year Tau *Toe*

Decade Tekau tau *Teck-oh toe*

Century Rautau *Ro-toe*

Seasons

Spring Kōanga *Caw-unga*

Summer Raumati *Row-mutty*

Winter Hōtoke *Haw-taw-ke*

Autumn Ngāhuru *Nah-hoo-roo*

Number crunching

0 – 10

0	Kore	*Caw-re*
1	Tahi	*Ta-hee*
2	Rua	*Roo-ah*
3	Toru	*Tore-roo*
4	Whā	*Far*
5	Rima	*Reema*
6	Ono	*Or-nor*
7	Whitu	*Fee-too*
8	Waru	*Wah-roo*
9	Iwa	*Ee-wah*
10	Tekau	*Teck-oh*

11 – 20

11	Tekau mā tahi
12	Tekau mā rua
13	Tekau mā toru
14	Tekau mā whā
15	Tekau mā rima
16	Tekau mā ono
17	Tekau mā whitu
18	Tekau mā waru
19	Tekau mā iwa
20	E rua tekau

Tekau = *teck-oh*. Mā = *Maa*.

21 E rua tekau mā tahi
E rua teck-oh maa ta-hee

23 E rua tekau mā toru
E roo-ah teck-oh maa tore-roo

30 E toru tekau
E tore-roo teck-oh

31 E toru tekau mā tahi
E tore-roo teck-oh maa tahi

Apply this format for the remaining tens up to 100. eg: 40: E whā tekau etc.

100 Kotahi rau
Caw-ta-hee row

"row" as in "row your boat"

110 Kotahi rau mā tekau
Caw-ta-hee row maa teck-oh

111 Kotahi rau e tekau mā tahi
Caw-ta-hee row e teck-oh maa ta-hee

120 Kotahi rau e rua tekau
Caw-ta-hee row e roo-ah teck-oh

121 Kotahi rau e rua tekau mā tahi
Caw-ta-hee row e roo-ah teck-oh maa ta-hee

130 Kotahi rau e toru tekau
Caw-ta-hee row e tore-roo teck-oh

101 Kotahi rau mā tahi
Caw-tah-hee row maa ta-hee

201 E rua rau mā tahi
E roo-ah row maa ta-hee

301 E toru rau mā tahi... etc
E tore-roo row maa ta-hee

200 E rua rau
E roo-ah row

300 E toru rau
E tore-roo row

400 E whā rau
E far row

500 E rima rau
E reema row

600 E ono rau
E or-nor row

700 E whitu rau
E fee-too row

800 E waru rau
E wah-roo row

900 E iwa rau
E ee-wah row

1000 Kotahi mano
Caw-ta-hee ma-nor

Dollars & cents

$1 Kotahi taara
Caw-ta-hee taa-ra

$2 E rua taara
E roo-ah taa-ra

$3 E toru taara
E tore-roo taa-ra

$10 Tekau taara
Teck-oh taa-ra

$11 Tekau mā tahi taara
Teck-oh maa ta-hee taa-ra

$12 Tekau mā rua taara
Teck-oh maa roo-ah taa-ra

$20 E rua tekau taara
E roo-ah teck-oh taa-ra

$21 E rua tekau mā tahi taara
E roo-ah teck-oh maa ta-hee taa-ra

Body parts

Face Kanohi *Car-nor-hee*

Hair Makawe *Muck-ah-we*

Head Upoko *Ooo-paw-caw*

Ears Tāringa *Tar-ringer*

Eyes Mata *Mutter*

Nose Ihu *Ee-who*

Lips Ngutu *Noo-too*

Mouth Waha *Wah-ha*

Teeth Niho *Nee-haw*

Chin Kauae *Co-eye*

Jaw Kauae *Co-eye*

Neck Kakī *Car-key*

Shoulders Pokohiwi
Poor-caw-hee-wee

Elbow Tuke *Too-ke*

Arm Ringa *Ringer*

Wrist Kawititanga o te ringaringa
Car-witty-tounge-ah or te ringer-ringer

Hand Ringa *Ringer*

Fingers Matihao *Muttee-how*

Stomach Puku *Pook-oo*

Arse Nono *Nor-nor*

Penis Ure *Oo-re*

Vagina Tara *Ta-ra*

Testicles Raho *Ra-haw*

Thighs Kuha *Coo-ha*

Knees Turi *Too-ree*

Legs Waewae *Why-why*

Ankles Punga o te wae wae
Poong-ah or te why-why

Feet Matimati *Muttee-muttee*

Toes Ngā matimati
Nah muttee-muttee

Knees become Ngā turi *Nah too-ree.*
Adding Ngā *at the start indicates a plural.*

Bodily functions

I have to take a leak.
Me haere au ki te mimi.
Me high-re oh key te mee-mee.

I have to have a shit.
Me haere au ki te tiko.
Me high-re oh key te tick-or.

I'm dying for a piss.
Ko taku tino hiahia ko te mimi.
Caw tuck-oo tea-nor here-here caw te mee-mee.

I'm dying for a shag.
Ko taku tino hiahia ko te ai.
Caw tuck-oo tea-nor here-here caw te eye.

I'm thirsty.
Kei te mate inu au.
Kay te mutt-e ee-noo oh.

Who farted?
Nā wai i pātero?
Nah why ee part-e-roar?

Belch Kūpā *Koo-par*

Piss Mimi *Mee-mee*

Loud Fart Pātero *Part-e-roar*

Stealth Fart Pīhau *Pee-ho*

Shit Tūtae *Too-tie*

Food

Come and get it.
Haere mai ki te kai.
High-re my key te kie.

Breakfast Parakuihi *Para-kwee-hee*

Lunch Tina *Tinner*

Dinner Hapa (or) Tina
Hupper (or) *Tinner*

What's cooking?
He aha te kai e tahu ana?
Hey ah-ha te kie e tah-hoo un-nah?

Your turn to do the dishes.
Ko tēnei to wā rīhi horoi.
Caw ten-nay tore wah ree-hee haw-raw-ee.

It's in the oven.
Kei roto i te umu.
Kay raw-tore ee te oo-moo.

Let's eat. (for 2 people)
Me kai tāua.
Me kie tawa.

Let's eat. (more than 2 people)
Me kai tātou.
Me kie ta-toe.

Fruits

Apple Āporo *Aah-paw-raw*

Pear Pea *Pear*

Peach Pītiti *Pee-titty*

Plum Paramu *Pa-ra-moo*

Orange Ārani *Aah-ra-nee*

Lemon Rēmona *Re-more-nah*

Banana Panana *Panana*

Vegetables

Potato Riwai, parareka, taewa
Ree-why, pa-ra-wrecker, tie-wa

New potato Purepure
Poo-re-poo-re

Sweet potato Kūmara
Koo-ma-ra (note: NOT "koom-rah")

Cabbage Kāpeti *Car-pe-tee*

Leek Riki *Ree-kee*

Lettuce Rētihi *Re-tee-hee*

Pumpkin Paukena *Po-ke-nah*

Onion Aniana *Un-ee-un-ah*

Marrow Kamokamo *Car-more-car-more*

Watercress Wāta kirihi
Waa-ta kee-ree-hee

Around the house

Door Kūaha (or) Tatau
Coo-ah-ha (or) *Tar- toe*

Window Matapihi *Mutter-pee-hee*

Floor Papa *Papa*

Ceiling Tahuhu whare
Ta-who-who far-re

Roof Tuanui *Too-ah-noo-ee*

Kitchen Kīhini *Kee-hee-nee*

Dining Room Te rūma kai
Te roomer kie

Bedroom Te rūma moenga
Te roomer more-eng-ah

Bathroom Te rūma horoi
Te roomer haw-raw-ee

Porch Roro *Raw-raw*

Deck Mahau *Ma-ho*

Garage Karāti *Ka-raa-tee*

Table Tēpu *Tear-poo*

Sofa Nohoanga ngāwari
Nor-haw-unga na-worry

Write your own real estate headlines

How to achieve those "expressions of interest" in Māori.

1/4 acre paradise.
He taonga koata eka tēnei.
He tow-ong-ah caw-ah-ta eck-ah ten-nay.

Owner Says Sell.
Hokoatu te kī a te kaihoko.
Haw-caw-ah-too te key ah te kie-haw-caw.

Keen Vendor.
He kaihokoatu ārita.
He kie-haw-caw-ah-too ah-reeta.

Sun & Views.
Me te rā me ngā tirohanga.
Me te ra me nah tee-raw-hung-ah.

Home and Income.
Kāinga me whiwhi moni.
Kie-ing-ah me fee-fee money.

Handyman's Delight.
Te wehe a te kaimahi ārita.
Te we-he ah te kie-ma-hee ah-rita.

Location, location, location.
Te wāhi, te wāhi, te wāhi.
Te wah-hee, te wah-hee, te wah-hee.

The 3 great lies

Your cheque's in the mail.
I roto i te mēra to tiaki.
Ee raw-taw ee te mare-ah tore checky.

We probably all know the 2nd. Great Lie but as this may be considered a "family publication" we'll keep Lie #2 under wraps. Kids, ask your parents. Or hey, vice versa.

Yes! Just one glass of wine with dinner officer.
Ae! Kotahi noa iho te karaehe waina me te kai e pā.
Aye! Caw-ta-hee gnaw ee-haw te car-wry-he wine-ah me te kie e par.

And how do you plead?

Guilty.
Mau tūturu.
Mo too-too-roo.

Not guilty.
Ehara i te mau tūturu.
E-hah-ra ee-te mo too-too-roo.

On the phone

Hello. Kia ora. *Key ora.*

Hello. Tēna koe. *Ten-ah kway.*

May I ask who's calling?/Who's this?
Ko wai tēnei?
Caw why ten-nay?

See ya. Ka kite. *Car key-te.*

See you again.
Ka kite anō.
Car key-te ah-nor.

Not here.
Kāore i konei.
Car-or-re ee caw-nay.

Wrong number.
Te nama hē.
Te nummer he.

Who do you want?
E hia hia ana koe i a wai?
E here here un-nah kway ee ah why?

Speak up.
Kōrero ake mai.
Caw-rare-raw uck-e my.

Please call back later.
Me waea mai anō a tōna wā.
Me wire my ah-nor ah torner-wah.

My number is ...
Ko (number)...taku nama.
Caw (number).... tuck-oo nummer.

What's your mobile number?
He aha to nama waea pūkoro?
Hey ah-ha tore nummer wire poo-caw-raw?

This is ...6345789.
Ko e ... ono, toru, whā, rima, whitu, waru, iwa, tēnei.
Caw e...or-nor, tore-roo, far, reema, fee-too, wah-roo, ee-wah, ten-nay.

What's your phone number?
He aha to nama waea?
He ah-ha tore nummer why-ee-ah?

What's your address?
Kei hea to kāinga?
Key here tore kie-ing-ah?

Complaints

I want to speak to the manager.

Kei te hiahia au ki te korero atu ki te kaiwhakahaere.

Kay te here-here oh key te caw-rare-raw ah-too key te kie-far-car-high-re.

Yes, I'll hold.
Ae, ka pūpuri au.
Eye, car poo-poo-ree oh.

Yes, it's urgent.
Ae, ināianei rawa atu.
Eye, ee-nigh-ah-nay rawa ah-too.

This sucks.
Hei kino rawa atu tēnei.
Hey key-nor ra-wah-too ten-nay.

Stick it up your arse.
Purua ki to nono.
Poo-roo-ah key tore nor-nor.

The Lord's prayer

E to mātou Matua i te rangi,
Kia whakatapua to ingoa,
Kia tae mai to rangatiratanga,
Kia whakaritea to hiahia i te whenua
Kia pera anō i to te rangi.
Hōmai ki a mātou āianei he taro mā
mātou mo tēnei rā.
Whakakāhoretia o mātou hara, me mātou
e whakakore nei i nga hara o te hunga
e hara ana ki a mātou.
Kaua mātou e tukua kia whakawaia,
Ēngari whakaorangia mātou i te kino.
Āmene.

E tore ma-toe ma-too-ah ee te rung-ee,
Key-ah far-car ta-poo-ah tore ing-oh-ah,
Key-ah tie my tore rung-ah-tier-ah-tongue-ah,
Key-ah far-car-ree-tea-ah tore here-here
ee te fen-oo-ah
Key-ah pear-ah un-nor ee tore te rung-ee.
Haw-my key ah ma-toe eye-un-nay he
taro ma ma-toe more ten-nay ra.
Far-car-car-haw-re-tee-ah or ma-toe ha-ra,
me ma-toe
E far-car-caw-re nay ee nah ha-ra or te hung-ah
E ha-ra un-nah key ah ma-toe.
Car-wah ma-toe eh took-oo-ah key-ah far-car-
wire,
Eng-ah-ree far-car-or-rung-ear ma-toe ee te
key-nor. Amen.

The Sign of the Cross

In the name of the Father, and the Son and the Holy Spirit.

Ki te ingoa o te Matua, o te Tamaiti, o te Wairua Tapu.

Key te ing-oh-ah or te Ma-too-ah, or te Te-mighty, or te Why-roo-ah Ta-poo.

Grace before meals

Bless us O Lord and these your gifts which through your goodness we are about to receive through Christ our Lord, Amen.

E taku Atua, whakapaingia mātou me tēnei kai i hōmai e koe kia ora mātou mōu. Mā Hehu Karaiti to Mātou Ariki, Āmene.

Eh tuck-oo ah-too-ah, far-car-pie-ing-ee-ah ma-toe me ten-nay kie ee haw-my eh kway key ora ma-toe mow. Ma he-who ka-righty tore ma-toe ah-reek-ee, Amen.

Dept. of Media Studies

(TV)

There's nothing to watch.
Kahore kau he mea pai ki te mātakitaki.
Car-haw-re co he mayor pie key te maa-tah-key-tuck-ee.

(Film)

What a load of crap.
He tahuna tūtae tēra.
He tar-hoon-ah too-tie tear-ra.

What a waste of money.
He moumou moni hoki teera.
He mow-mow more-nee haw-key tear-ra.

The Treaty

The Treaty is a fraud.
He tinihanga te Tiriti.
He tinny-hung-ah te Tee-ree-tee.

Hey kids, it's good Clean Joke time

Q. How do you tell one end of a huhu grub from the other?
Q: Mōhio koe i tēna tōpito ki tēna i te aha?
Q: More-hee-or kway ee ten-ah tore-pee-tore key ten-ah ee te ah-ha?

A. Put it in a bowl of flour and wait until it farts.
A: Whakatakoto te huhu i te oko parāoa, ā, tāria mō te pātero.
A: Far-car-tar-caw-tore te hoo-hoo ee te or-caw pa-rah-or-ah, ah, tar-ree-ah more te part-air-roar.

Respect for elders

(Largely unheard these days on public transport, but as solid baby boomers from good homes, the authors are always hopeful.)

Would you like my seat ?
E pīrangi ana koe ki taku tūru?
E pee-rung-ee un-nah kway key tuck-oo too-roo?

Good keen Kiwi phrases

Bob's your uncle.
Ko Pāpu to matua.
Caw Paa-poo tore ma-too-ah.

She'll be right mate.
Hei te pai e hoa.
Hey te pie e haw.

True bro!
He pono hoki e hoa!
He paw-nor haw-key e haw!

No flies on you mate.
Koia kei a koe e hoa.
Caw-ee-ya kay ah kway e haw.

Whatever.
He aha hoki.
He ah-ha haw-key.

A tip for world leaders

Blessed are the peacemakers for they shall be called the children of God.

Whakatapua ngā whakāio whenua ka kīa rātou ngā tamariki a te Atua.

Far-car-ta-poo-ah nah fuck-eye-oh fen-oo-ah car key-ah rah-toe nah tummer-ree-kee ah te Aah-too-ah.

Gone fishing

Catching anything?
E hopu ana koe ki te aha?
E haw-poo un-nah kway key te ah-ha?

What's working well these days?
He aha te mea pai rawa i ēnei rā?
He ah-ha te mayor pie rawa ee en-nay ra?

Sport

(Arguably the greatest live comment heard for some time.)

"Australia, you're dead, you're dead, you're buried."

Allen McLaughlin, Radio Sport, 17/10/03.

"Ahitereiria, kua mate koutou, kua mate koutou, kua tāpuke anōtia koutou."

"Ah-hee-te-ray-ree-ah, coo-ah ma-te ko-toe, coo-ah ma-te ko-toe, coo-ah ta-pook-e ah-nor-tee-ah ko-toe."

It's a try.
He tohu tēra.
He tore-who tear-rah.

It's over.
Kei runga.
Kay rung-ah.

He's way off-side!
Kei te tukunga iho nui ia!
Kay te too-kung-ah ee-haw noo-ee ee-ah!

Polite insults

Piss off! Haere atu! *High-re ah-too!*

Dickhead Upokoure
Oo-pook-or-oo-re.

Fkhead** Upokoai *Oo-pook-or-eye.*

Shit for brains.
Tūtae mō te roro.
Too-tie more te raw-raw.

Get lost!
Haere atu!
High-re ah-too!

You're full of shit.
Kei te kī me te tūtae koe.
Kay te key me te too-tie kway.

Wanker Pokotiwha *Poor-caw-tee-far.*

What are you staring at?
Kei te titiro mākutu koe ki te aha?
Kay te tee-tee-raw ma-coo-too kway key te ah-ha?

Bitch Witi *Witty.*

Positively negative

This sucks.
He kino rawa atu tēnei.
He key-nor ra-wah-too ten-nay.

What a drag.
He hōhā tēnei.
He haw-ha ten-nay.

What a load of shit.
He tūtae nui tēnei.
He too-tie noo-ee ten-nay.

Get a real job.
Whiwhia he mahi tūturu.
Fee-fear he ma-hee too-too-roo.

Don't give up your day job.
Kaua e hoatu to mahi rā.
Kawa e haw-ah-too tore ma-hee ra.

The Wanker family of phrases

What a wanker.
He pokotiwha hoki ia.
He poor-caw-tee-far haw-kee ee-ah.

What a bunch of wankers.
He rōpu pokotiwha hoki rātou.
He raw-poo poor-caw-tee-far haw-key rah-toe.

He's / She's such a wanker.
He tauira pokotiwha ia.
He toe-ee-ra poor-caw-tee-far ee-ah.

"We're wankers" (several versions for all situations).
He pokotiwha māua (me & someone else).
He poor-caw-tee-far mo-wah.

He pokotiwha tāua (Meaning me & you).
He poor-caw-tee-far toe-ah.

He pokotiwha mātou (Meaning all of us but excluding you).
He poor-caw-tee-far maa-toe.

He pokotiwha tātou (Meaning all of us).
He poor-caw-tee-far tar-toe.

I'm a wanker. (Yes, you)
He pokotiwha au. (Ae, ko koe)
He poor-caw-tee-far oh.

Love thy neighbour

Please stop your dog barking.
Kāti te auau a to kuri.
Car-tee te oh-oh ah tore coo-ree.

Please turn your music down.
Me whakaiti te hoihoi o to waiata
Me far-car-ee-tee te hoy-hoy or tore wire-ta.

Fire!
Ahi!
Ah-hee!

My kids are trying to sleep.
E ngana ana aku tamariki ki te moe.
E nah-none-uh ah-koo tum-are-ree-kee key te moy.

Please stop banging.
Kāti te haruru.
Car-tee te ha-roo-roo.

Down to business

I've come to see...
Kua haere mai au ki te kite i a...
Coo-ah high-re my oh key te key-te ee ah...

I have an appointment at...
He taima whakatūria taku a te ...
He timer far-car-too-ree-ah tuck-oo ah te...

I'm a little early.
He āhua moata au.
He ah-whoo-ah more-ah-ta oh.

Sorry I'm late.
Aroha mai, kei te tūreiti au.
Ah-raw-ha my, kay te too-ratey oh.

Have you got a business card?
He kāri whakamahi tāu?
He car-ree far-car-ma-hee toe?

Here's my card.
Anei taku kāri.
Ah-nay tuck-oo car-ree.

Have a seat.
E noho.
E nor-haw.

The deal sucks.
E kore e pai tēnei mea.
E caw-re e pie ten-nay mayor.

The deal's off.
E kore e taea tēnei kirimana.
E caw-re e tyre ten-nay key-ree-munna.

I'll see you in court.
Ka kite au i a koe i te kōti.
Car kee-te oh ee ah kway ee te court-tee.

Letters I've written

My Dear...
E te tau...
E te toe... (only use this for very close friends)

Dear...
E hoa...
E haw...

Dear Nick
E Nick
E Nick

Love and kisses
Me te aroha me ngā kihi hoki.
Me te ah-raw-ha me nah kee-hee haw-key.

From Nick
Nā Nick
Nah Nick

To whom it may concern
Ki a wai e pā ana ki tēnei
Key ah why e par un-nah key ten-nay

Yours faithfully, Nick.
Nāku noa, nā Nick.
Nah-koo gnaw, nah Nick.

Your pal...
To hoa...
Tore haw...

All my love...
Arohanui...
Ah-raw-ha-noo-ee...

All our love...
(from two of us)
Arohanui nō māua...
Ah-raw-ha-noo-ee nor maa-wah...

All our love...
(from more than two people)
Arohanui nō mātou...
Ah-raw-ha-noo-ee nor maa-toe...

With love and kisses...
Me te aroha, ā, ngā kihi...
Me te ah-raw-ha ah nah kee-hee...

Dept. of best friends

Some of my best friends are pākehā.
Ko ētahi o aku tino hoa he pākehā.
Caw e-ta-hee or ah-coo tee-nor haw he paa-ke-haa.

Put 'em in the movies

(with thanks to the late, great, Bill Hicks)

Go ahead, make my day.
Haramai, mahia mai taku rā.
Hurra-my, ma-hee-ah my tuckoo rah.

Do ya feel lucky punk?
E rongo ana i te waimarie e hoa?
E wrong-oar un-nah ee te why-ma-ree-e e hoa?

I'll be back.
Ka hoki mai anō au.
Car haw-key my ah-nor oh.

The Joy of Txt in te Reo Māori

(The following conversation is an example of how to achieve some basic txt-ability)

Would you like to go for dinner in town tonight?
E hiahia ana koe ki te haere atu ki te tāone mo te kai i tēnei pō?
E here-here un-nah kway key te high-re ah-too key te tar-or-ne maw te kie ee ten-nay paw?

Yes. Where?
Ae. Kei whea?
I. K fea?

What about... ?
Pēhea te... ?
Phea t... ?

What time?
Ā tēhea wā?
A thea wa?

Will you pick me up?
Tiki mai koe i a au?
Tki my koe i a au?

Art & culture dept.

Where's the museum?
Kei hea te whare taonga?
Kay hair te far-re towng-ah?

Where's the art gallery?
Kei hea te whare taonga pikitia?
Kay hair te far-re towng-ah picky-tee-ah?

Where's the bookshop?
Kei hea te toa hoko pukapuka?
Kay hair te tore haw-caw pooka-pooka?

Where's the concert?
Kei hea te konohete?
Kay hair te caw-nor-he-te?

Where's the library?
Kei hea te whare pukapuka?
Kay hair te far-re pooker-pooker?

Instant! Emergencies

I'm having a baby. E whanau ana au.
E far-no un-nah oh.

I feel sick. Kei te mate au.
Kay te mutt-e oh.

I'm having a heart attack.
Kei te tino mate taku manawa.
Kay te tee-nor mutt-e tuck-oo mun-ah-wah.

I'm OD'ing. Kei te mate ake au.
Kay te mutt-e uck-e oh.

Call a doctor. Waeahia te tākuta.
Wire-here te taa-coo-ta.

Call an ambulance.
Waeahia te waka oraranga.
Wire-here te wucka oar-rah-rung-ah.

Fire! Ahi! *Ah-hee!*

Call the fire brigade.
Waeahia ngā kaiweto ahi.
Wire-here nah kie-wet-or ah-hee.

Call the cops.
Waeahia ngā pirihimana.
Wire-here nah pee-ree-hee-munna.

Stop thief. E tū kaitāhae.
E too kie-tar-high.

I lost my bag.
Kua ngaro taku kete.
Coo-ah naa-raw tuck-oo ke-te.

I lost my wallet.
Kua ngaro taku pekemoni.
Coo-ah nah-raw tuck-oo pe-ke-money.

Someone pinched my car.
I tāhaetia taku motokā.
Ee tar-high-tier tuck-oo motorcar.

My car's broken down.
Kua pakaru taku motokā.
Coo-ah puck-ah-roo tuck-oo motorcar.

Look out! Kia tūpato!
Key-ah too-putt-or!

I'm lost.
Kei te ngaro au.
Kay te na-raw oh.

Can I use the phone?
E āhei ana au ki te waea atu?
E ah-hay un-nah oh key te wire ah-too?

I've got a toothache.
Kei te mate taku niho.
Kay te mutt-e tuck-oo nee-haw.

Leave me alone.
Waihongia ahau.
Why-hong-ee-ah ah-ho.

Taxi chit chat

Follow that cab!
Whaia tēra tēkehi!
Fire tear-ah teck-e-hee!

Keep going.
Haere tonu.
High-re tore-noo.

Stop here please.
Me tū i konei.
Me too ee cor-nay.

Turn right.
Huri ki te matau.
Hoo-ree key te ma-toe.

Turn left.
Huri ki te mauī.
Hoo-ree key te mo-wee.

Airport.
Te tauranga manurere.
Te toe-rung-ah mun-noo-re-re.

City. Te tāone nui.
Te town-ne noo-ee.

Got any music? He waiata ōu?
He wire-ta oh?

Keep the change. Pūpuritia.
Poo-poo-ree-tier.

Honey, I'm...

Honey, I'm pregnant.
Kei te hapu au e te tau.
Kay te ha-poo oh e te toe.

Hi honey, I'm home.
Kia ora e te tau, kei te kāinga au.
Key ora e te toe, kay te kie-enga oh.

Building site banter

Nice arse.
He nono pai tēra.
He nor-nor pie tear-ra.

Great legs.
He waewae pai ēra.
Hey why-why pie air-ah.

What a spunk. (referring to a guy)
Kātahi te tangata ātaahua tēra.
Car-tah-hee te tongue-ah-ta aah-tar-who-ah tear-ra.

What a spunk.
(referring to a woman)
Kātahi te wahine ātaahua tēra.
Car-tah-hee te wah-hee-ne aah-tar-who-ah tear-ra.

The inevitable conversation starter

What's the property market gonna do?
Nā, kei hea te haere o te taputapu hokohoko?
Nah kay hair te high-re or te ta-poo-ta-poo haw-caw-haw-caw?

Happy and merry

Happy Birthday.
Hari huritau.
Ha-ree hoo-ree-toe.

Merry Xmas.
Mere Kirihimete.
Merry Kiri-hee-met-te.

Happy New Year.
Ngā mihi o te tau hou.
Nah mee-hee or te toe hoe.

Addressing the multitude

When greeting 1 person
Tēna koe.
Ten-nah kway.

A warmer greeting to 1 person
Tēna rawa atu koe.
Ten-nah ra-wah ah-too kway.

When greeting 2 people
Tēna kōrua.
Ten-nah caw-roo-ah.

When greeting more than 2 people
Tēna koutou.
Te-nah ko-toe.

When greeting a crowd
Tēna koutou katoa.
Te-nah ko-toe cut-oar.

Hello (to 1 person)
Kia ora.
Key ora.

(A warm hello to a close friend)
Kia ora rā.
Key ora rah.

(To 2 people)
Kia ora kōrua.
Key ora caw-roo-ah.

(To more than 2 people)
Kia ora koutou.
Key ora ko-toe.

(To a crowd)
Kia ora koutou katoa.
Key ora ko-toe cut-oar.

Consolations

There there, don't cry.
Kaua, e tangi.
Car-wah, e tongue-ee.

Poor thing.
Ka aroha hoki.
Car ah-raw-ha haw-key.

You'll be OK.
Ka pai koe.
Car pie kway.

It's only a scratch.
He rapirapi noa iho tēnā.
He ra-pee-ra-pee gnaw ee-haw ten-nah.

Big City talk

Auckland
Ākarana or Tamaki-Makau-Rau
Uck-ah-rah-na or Tum-uck-ee-Ma-co-Roe

Hamilton
Hamutana or Kirikiriroa
Hah-moo-tunner or Kee-ree-kee-ree-raw-ah

Wellington
Pōneke
Poor-ne-ke
(Port Nicholson was Wellington's original colonial name)

Te Upoko o Te Ika
Te Oo-paw-caw oar Te Ee-car

Unbelievably helpful explanation at no extra cost!

See, the North Island is referred to as " The Fish of Māui and so Wellington is "The Head of The Fish".

(Another name for) Wellington
Te Whanga-nui-a-Tara
Te fung-ah-noo-ee-ah-Tara

(The great harbour of Tara - which recognises the chief Tara who visited this place in 12th century, liked what he saw and decided to

stay. His people, Ngai Tara, are said to be the first Iwi to settle permanently in Wellington.)

Christchurch
Ōtautahi
Oar-toe-tah-hee

Dunedin
Ōtepoti
Oar-te-paw-tee

Voicemail

Hi it's (your name), leave a message and I'll call you back.
Kia ora ko ....tēnei, waihongia to kōrero, ā, ka whakahoki au.
Key-ora caw ...(your name)... ten-nay, why-hong-ee-ah tore caw-re-raw, aah, car far-car-haw-key oh.

PUKEKURA PARK

How quiet the deeps of these cool glades,
All banked with groves of green, -
With there the cannae rioting
And there the water's sheen.

And here a clump of fern-tree fonds
Slowly beckon gracefully, -
Coquetting with the dying sun
Whose kiss they throw to me.

And yonder islet gaily dressed
With the quaint wild-strawberry,
Is deftly imaged in the lake
That laps it lazily.

And there the wood-duck preen their coats
All plashed with water-beads,
And then tumultuously wing,
to nest among the reeds.

And while the evening shadows come
that softly fold the green,
I think of dusty feet that walked
Of old these hills between;

Of arching bosoms nobly posed,
With generous hearts, that beat
A happy measure to the song
Their chanting maids repeat.

From their pahs we drove them bullet-bled;
To the painful hills they crept;
For how could spears oppose the gun........?
And Māori mothers wept.

But never a foot of their land held we,
If on even terms we'd fought;
For a Māori warrior equalled three, -
As Bloody White Cliffs taught!

We fished their seas, their forests burned, -
Their glorious leafy dome
Whose mossy branches sheltered them
As never the pākehā home.

Now, fifty thousand, dispossessed,
Squat squalidly and smoke:
Ah, bitter to the Māori neck
The careless white-man's yoke!

And what give we in poor exchange
For the Aotea-roa?
Our vices... now disease... death,
To the children of the Moa.

We have our prayers, our Sacraments,
The Christ-mas mystery;
But only one in ten of them
Can say the rosary!
And so, while the shadows softly fall
on Pukekura's glades,
My heart goes out to the Māori folk -
Brave men and bright eyed maids.

Poem by Charles Leslie (Les) Theobald.

Born Lyttleton, 1891, died Wellington, 1952.

Journalist, Civil Servant, Writer.

Cpl. in The WW1 Wellington Mounted Rifles.

Father of Paul, Helen, Myra, John and Nick Theobald.

Husband of Keitha May (Tommy) Oliver.

Son of John and Elizabeth (nee. Hughes) Theobald.

Extra Marae & Wharenui (Meeting House) speeches

The speeches on the Marae as opposed to those inside the Wharenui follow a strict format, which is :

1. Speaker opens with a mihi/tribute to the dead. This will include the ancestors and recently deceased from the host Marae and will also include a mihi to all the dead no matter where they were from.
2. Speaker will then mihi to the living "te hunga ora".
3. Speaker will then mihi to the Wharenui of the host Marae and then mihi to the Marae itself.
4. Speaker will then introduce himself (speaking on the Marae is almost exclusively a male domain).

The introduction may or may not include the speaker's name. It is very common for such to be the case and the introduction takes the form of a reference to the speaker's tribal boundaries and/or geographical assets. eg:

"Ko Taranaki te maunga, ko Waitara te awa, ko Atiawa te Iwi." This lets everyone know that the speaker is of the Atiawa Iwi/tribe.

5. Speaker will then speak on his chosen topic(s). At the end of the speech it is a requirement that a waiata (song) be sung, by women, wherever possible.

   The Marae is the domain of Tumatauenga (God of War) and speakers can talk about whatever they wish.

   Speeches in the Wharenui are supposed to follow themes of aroha. Such speeches can range from a learner of the language introducing him/herself, to fluent Māori speakers pursuing their chosen topics. There is a prohibition on aggressive speeches inside the Wharenui and such speeches are to be made outside on the Marae.

MARAE SPEECH EXAMPLE

"Tihe mauri ora!"
(literally The breath of life)
Tee-he mow-ree or-rah!

"E ngā mate o tēnei marae me ngā marae o te motu hoki."
May the deceased of this marae
and all the marae of the country
E nah ma-te or ten-nay ma-rye me nah ma-rye or te more-too haw-kee

"Haere, haere, haere!"
Go to your special place!
High-re, high-re, high-re!

"E te hunga ora tēna koutou, tēna koutou, tēna tātou katoa."
Greetings to the living.
E te hoong-ah or-rah ten-nah ko-too, ten-nah ko too, ten-nah ta-toe cut-oar.

"E te Whare e tū mai nei tēna koe."
Greetings to you the meeting house.
E te Far-re e too my nay, ten-nah kway.

"E te marae e takoto mai nei, tēna koe."
Greetings to you the marae.
E te ma-rye e tuck-or-tore my nay, ten-nah kway.

"Ko Taranaki taku maunga, ko Waitara taku awa, ko Atiawa taku Iwi, ko Nick taku ingoa, ā, nō Pōneke au. No reira tēna koutou, tēna koutou, tēna tātou katoa."

Taranaki is my mountain, Waitara is my river, Atiawa is my tribe, my name is Nick and I'm from Wellington. And so greetings one and all.

Cor Taranaki tuck-oo mowng-ah, cor Waitara tuck-oo ah-wah, cor Atiawa tuck-oo Ee-wee, cor Nick tuck-oo ing-oh-ah ah, nor Poor-neck-e oh. Nor ray-rah ko-toe, ten-nah ko-toe, ten-nah ta-toe cut-oar.

Getting the hang of a hāngi

The hāngi is the earth oven occasionally used by Māori to cook food. The word also means "the cooked food from the hāngi." So when you hear people say "Man the hāngi was choice" - they are not referring to the terra firma.

Ingredients

1. At least a metre of manuka. Other wood will do but manuka is best.
2. A large, clean cotton sheet to cover the food.
3. Three layers of old-fashioned sacking to put over the sheet.
4. One shovel.
5. Hāngi stones. Hard to find, but they can be unearthed in Trade & Exchange type publications. Volcanic stones or riverstones are recommended - you will need someone who knows how to recognize them should you decide to be totally original. Steel bars are sometimes used in place of, or as well as, stones.
6. Steel-mesh baskets to place food in.

7. What food can be cooked? Virtually any sort of meat or fish. Peel vegetables where necessary. Hot favourites are potatoes, kumara, onions, pumpkin, marrow....even stuffing.

Steamed puddings are delicious when done in the hāngi.

Method

Wet the sacks and leave them to soak (best left soaking overnight), while you get off your nono/bum and do the following:

1. It is usually the mens' job to prepare the fire and the womens' to prepare the food. Whatever, the food needs to be ready to go straight into the hāngi at cooking time.
2. Dig a pit ... dish-like as opposed to grave-like. Make the width of the pit a bit wider than your basket(s) and to a depth about .25 of a metre. Keep the dirt piled up as you'll need it later.
3. Prepare the fire. Stack the wood lattice-like so that it will collapse inwards.
4. Put the stones on top of the wood. Use enough stones to cover the width of the pit floor.

5. Light the fire and let it burn until all the wood has burnt and the stones have fallen to the pit's bottom. Usually takes about 1 to 1.5 hours.
6. Remove all ashes from the pit and any un-burnt wood. People often leave some still-burning wood in as they like the resulting smokey taste of the food.
7. Temporarily remove the red hot stones and give the pit floor a good whack with a wet sack.
8. Put the hot stones back in the pit and give them a good whack to get rid of any ash.
9. Place the food in the baskets.... should already be there ....with the slowest cooking at the bottom. Baskets should be lined with tinfoil and the tinfoil overlaid with cabbage leaves.
10. Pour about half a bucket of water over the hot stones and quickly place the baskets on the stones.
11. Cover basket(s) with cotton sheet and extend to perimeter of pit.
12. Cover cotton with sacking. Moving at top speed at this stage. Tuck sheet and sacking down sides of basket(s) so they are totally protected from the dirt to come.
13. Cover sacking with the dirt you dug from the pit - working from the bottom up.

14. Once sacking is totally covered, stay on duty for an hour and shovel dirt over the outlets that the steam inevitably finds.
15. High time for an appropriate refreshment.

Cooking time: 3 hours approx.

After 3 hours, uncover and remove sacking and cotton sheet.
Use heat-resistant gloves to remove the basket(s) of food.
Put the dirt back into the pit (having removed the stones- you can use them again) and ... Bob's your uncle.
Enjoy your hāngi kai and don't forget to invite the authors over.

Note: there is another widely-used alternative to the above.
Instead of lighting a fire to heat the stones in your pit, you light a fire adjacent to the pit and heat the stones. Once the fire has burnt down and the stones are red hot, you transfer the stones to your pit. This makes for a cleaner hāngi in that you don't have to worry about removing ash from your pit before you place your food baskets over the stones.

NOTES

About the authors

Paul (Pāora) Walker was born in New Plymouth and grew up in Urenui and other parts of Te Ika a Māui. He is affiliated to Te Atiawa and Taranaki and has a B.A. from Waikato University in Māori. He lives in Auckland with his full-time family.

Nick Theobald was born in Wellington. Nimbly avoiding the lure of scholastic endeavour, he spent much of his youth in Wellington's great snooker room - the St. George. He has been a roulette dealer, reporter, professional wedding photographer (fortunately for all concerned only on one occasion) and a ship's musician.

Haere rā ā kia pai to Instant! Māori.
Farewell and happy *Instant!* Māori.